Tajem w Meksyku

Mystery in Mexico

Jane West

Przekład
Translated by
Kryspin Kochanowski

Other Badger Polish-English Books

Rex Jones:

Pościg Śmierci	Chase of Death	*Jonny Zucker*
Futbolowy szał	Football Frenzy	*Jonny Zucker*

Full Flight:

Wielki Brat w szkole	Big Brother @School	*Jillian Powell*
Potworna planeta	Monster Planet	*David Orme*
Tajemnica w Meksyku	Mystery in Mexico	*Jane West*
Dziewczyna na skałce	Rock Chick	*Jillian Powell*

First Flight:

Wyspa Rekiniej Płetwy	Shark's Fin Island	*Jane West*
Podniebni cykliści	Sky Bikers	*Tony Norman*

Badger Publishing Limited
15 Wedgwood Gate, Pin Green Industrial Estate,
Stevenage, Hertfordshire SG1 4SU
Telephone: 01438 356907. Fax: 01438 747015
www.badger-publishing.co.uk
enquiries@badger-publishing.co.uk

Tajemnica w Meksyku *Polish-English* ISBN 978 1 84691 428 7

Text © Jane West 2005. First published 2005.
Complete work © Badger Publishing Limited 2008.

Publisher: David Jamieson
Editor: Paul Martin
Design: Fiona Grant
Illustration: Seb Camagajevac
Translation: Kryspin Kochanowski
Printed in China through Colorcraft Ltd., Hong Kong

Tajemnica
w Meksyku

Mystery in Mexico

Spis treści   Contents

1 Południowy upał

Było upalne południe. Sam leżała w hamaku. Wszyscy inni spali – to właśnie robili w Meksyku, gdy było zbyt gorąco.

Każdego lata Sam przyjeżdżała z ojcem do tej dzikiej i odludnej części Meksyku. Był on cenionym w Anglii archeologiem, ale to, co naprawdę kochał, to lato spędzone na kopaniu wokół ruin w Meksyku.

1 Midday heat

The midday sun beat down. Sam lay in her hammock. Everyone else was having a sleep – that was what they did in Mexico when the sun got too hot.

Every summer, she and her father came to this wild and lonely part of Mexico. Sam's dad was a top archaeologist in England, but what he really loved were summers spent digging around ruins in Mexico.

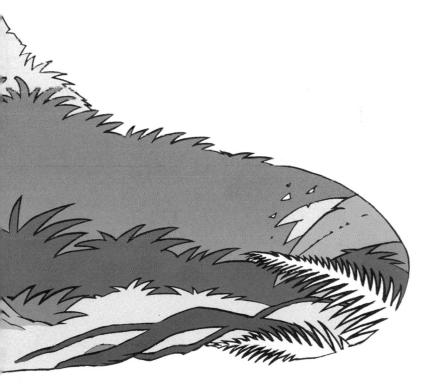

Sam zwykle wypoczywała w południe. Lubiła bujać się w gigantycznym hamaku w cieniu wielkiego drzewa. Dzisiaj nie mogła zasnąć. Była rozbudzona.

Zeskoczyła z hamaka i oddaliła się w kierunku lasu. Łatwo było zgubić się pośród drzew.

Zanim wyruszyła, sprawdziła kompas. Nie powinna oddalać się sama, ale dzisiaj nie dbała o to. Coś mówiło jej, że ma iść…

Sam normally enjoyed a rest at midday. She liked rocking in the giant hammock under the shade of a large tree. Today she couldn't sleep. She was wide awake.

Sam swung out of the hammock and walked off into the forest. It would be easy to get lost in the trees.

Sam checked her compass before setting off. She wasn't supposed to go far by herself, but today Sam didn't care. Something was calling to her…

2 Łowcy skarbów

Głosy w lesie. Sam stanęła i przysłuchiwała się.
Usłyszała szmer rozmów. To był dobry znak – nie
została zauważona.

Ale ponad głosami Meksykanów górował donośny
głos Amerykanina. To był zły znak.

Była tylko jedna osoba w okolicy, która mówiła w ten
sposób – Rafe Spinks, obłudny amerykański
archeolog, ze swoim czarnym Jeepem i wielkimi
kapeluszami.

2 Treasure hunters

Voices in the forest. Sam stopped and listened.
She could hear people chatting. That was good –
it meant she hadn't been seen.

But, above the Mexican voices, there was one
loud voice that sounded American. That was bad.

There was only one person around here who
spoke like that – Rafe Spinks, the slimy American
archaeologist with his black Jeep and big hats.

Ojciec Sam mówił, że nie był on prawdziwym archeologiem – jedyną rzeczą, o którą zabiegał, było znalezienie skarbu. Co więcej, opłacał lokalnego przestępcę, Jose Mamexi, by mu pomagał. Nawet policja obawiała się Mamexi.

Jej ojciec powinien wiedzieć, że Spinks i Mamexi współpracują ze sobą.

Sam wycofała się powoli, by go ostrzec. Spojrzała na swój kompas. Nie wskazywał północy. Obracał się w kółko, nie wskazując niczego.

Przeszedł ją dreszcz strachu.

Sam's father said he was not a real archaeologist – he only cared about finding treasure. Not only that, but he paid the local warlord, José Mamexi, to help him. Even the police were afraid of Mamexi.

Her father needed to know that Spinks and Mamexi were looking close by.

Sam crept away to warn him. She looked down at her compass. It wasn't pointing north. It was spinning in a circle, not pointing at anything.

A wave of fear passed over Sam.

3 Zagubiona

Sam starała się ustalić, w którą stronę powinna pójść. „Jeśli słońce jest za mną, to obóz powinien być po mojej prawej stronie".

Wróciła przez las, starając się iść tak, by słońce było za nią. Potykała się o chwasty a kolce wbijały się w jej ubranie. Zupełnie, jakby las nie chciał jej uwolnić. Wkrótce była zrezygnowana.

„Jestem taka głupia!", powiedziała do siebie. „Tato zawsze mówił mi, bym brała ze sobą wodę i mówiła komuś, dokąd idę!".

Nie było dobrze – zabłądziła. Usiadła. Trzecią rzeczą, jaką ojciec jej powtarzał, to zostać w miejscu, w którym się zgubiła.

3 Lost

Sam tried to work out which way she should go. "If the sun is behind me, then the camp must be to my right."

She went back through the forest, trying to keep the sun behind her. But the weeds tripped her up and thorns stuck in her clothes. It was as if the forest didn't want to free her. Soon, she was fed up.

"I'm so stupid!" she said to herself. "Dad always tells me to take water with me and tell someone where I'm going!"

But it was no good – she was lost. Sam sat down. The third thing her Dad always told her was to stay where she was if she ever got lost.

Sam oparła się o dużą skałę, by pomyśleć.
„To dziwne", powiedziała do siebie.

Skała nie wyglądała jak normalny kamień. Miała
ostre krawędzie. Wydawała się być częścią ściany.

Odciągnęła na bok rośliny, które porastały ostry
kamień i zdrapała brud i ziemię.

Wkrótce ujrzała większy fragment kamienia.
Z trudem chwyciła powietrze. Zdała sobie sprawę,
że patrzyła na kamienne drzwi, które nie były
otwarte od setek lat.

Sam leaned against a large rock to think. "That's odd," she said to herself.

The rock was not like a normal stone. It had sharp edges. It looked like part of a wall.

She pulled away the plants that had grown around the sharp stone and scraped away the dirt and soil.

Soon she could see more stone. Sam gasped. She realised that she was looking at a stone door – one that hadn't been opened for hundreds of years.

4 Niebezpieczeństwo w ciemnościach

„Tacie nie spodobałoby się to", pomyślała. Nie mogła się jednak teraz zatrzymać. Popchnęła drzwi. Otworzyły się łatwo, jakby chciały, by weszła.

Słońce rozświetlało wejście, ale dalej było ciemno. Sam wzięła głęboki wdech i weszła do środka. Posuwała się w głąb, wyszukując drogę rękami.

„Aj!". Coś poruszyło się przy jej ręce.

Szła dalej. Jej oczy przyzwyczajały się do ciemności.

4 Danger in the dark

"Dad wouldn't like this," thought Sam. But she couldn't stop now. Sam pushed the door open. It moved easily, as if it wanted her to go in.

Sunshine showed her the first few steps, but then it was dark. Sam took a deep breath and stepped inside. She worked her way along, feeling the way with her fingers.

"Aagh!" Something was moving by her hand.

Sam kept walking, her eyes becoming used to the dark.

Podłoga zaczęła opadać. „Jeśli się stąd nie wydostanę – powiedziała do siebie – nawet nie znajdą mojego ciała!".

To było dla niej zbyt wiele. Odwróciła się, by wracać, lecz w tym momencie zobaczyła przed sobą światło. Co to, u diabła, mogło być?

Weszła do jaskini, gdzie w tylnej ścianie wykuta była półka. Przypominało to ołtarze Azteków, które widziała w dużym muzeum w Mexico City.

Pośrodku półki znajdował się okrągły, szklany przedmiot, który wydawał się świecić.

Sam podeszła bliżej i zobaczyła, że ów przedmiot nie był okrągły, lecz że była to czaszka. Czaszka wykonana z czystego kryształu.

The floor started to slope downwards. "If I don't get out of here," she said to herself, "they won't even find my body!"

That was too much for Sam. She turned to go back but, at that moment, she saw a light ahead of her. What on earth could it be?

She walked into a cave with a shelf cut into the back wall. It reminded Sam of the Aztec altars that she'd seen in the big museum in Mexico City.

In the centre of the shelf was a round, glass object. It seemed to glow.

As she went closer, Sam could see that the object wasn't really round, it was a skull. A skull made of pure crystal.

5 Czaszka

„Są naprawdę rzadkie", powiedziała patrząc na kryształową czaszkę.

Jedna znajdowała się w muzeum w Meksyku, druga w Paryżu. Kilka w innych, dużych muzeach. Wszystkie jednak zostały znalezione w Meksyku.

Sam słyszała kiedyś, jak jej ojciec i inni archeolodzy rozmawiali o kryształowych czaszkach. Po co je wytwarzano? Niektórzy sądzili, że musiały mieć magiczną moc, której nie rozumiemy.

Po dziś dzień nie wiadomo, jak starożytni Aztekowie wytwarzali je, używając jedynie prostych narzędzi.

5 The skull

"These are really, really rare," said Sam as she looked at the crystal skull.

The museum in Mexico had one and there was another one in Paris. There were more in other big museums. But they had all been found in Mexico.

Sam had heard her father and other archaeologists talking about crystal skulls. Why were they made? Some people said that the skulls must have magic powers that we did not understand.

To this day, nobody knew how the ancient Aztecs made the skulls with only simple tools.

„Po prostu nie jesteśmy w stanie powiedzieć, dlaczego istnieją – powiedział ojciec Sam – ale istnieją".

Pewien archeolog zasugerował nawet, że czaszki zostały wykonane przez kosmitów, lecz nikt mu nie uwierzył.

„Muszę to zanieść tacie", powiedziała Sam. „To będzie znalezisko jego życia!". Wyciągnęła ręce, by podnieść czaszkę.

- Nie dotykaj tego!

Sam skoczyła na dźwięk męskiego głosu. Rafe Spinks stał w jaskini, trzymając pochodnię niczym broń.

"We just can't work out why they exist," said Sam's father, "but they do."

One archaeologist had even suggested that the skulls were made by aliens – but no-one believed him.

"I must get this to dad," said Sam. "It will be the find of his life!" Sam reached out to pick up the skull.

"Don't touch that!"

Sam jumped at the sound of a man's voice. Rafe Spinks stood in the cave, holding his torch like a gun.

- Zostaw to, dziewczyno! – rozkazał. – To może być pułapka. Nawet taki dzieciak jak ty powinien to wiedzieć. Nie widziałaś filmów o Indianie Jonesie?

Niski mężczyzna o ciemnych włosach, który stał obok niego, zachichotał. – Bierz czaszkę i daj mi moje pieniądze – powiedział. Miał meksykański akcent i śmierdział.

- Dziewczyna jest córką tego starego Anglika – powiedział Spinks. – Ci archeolodzy zawsze wchodzą mi w drogę.

- Nie martw się, zajmę się nią.

Strach chwycił Sam za gardło. Patrzyła prosto w zimne oczy bandyty, Jose Mamexi.

"Leave it, girl!" he ordered. "It could be a trap. Even a kid like you should know that. Haven't you seen any Indiana Jones films?"

Next to him a short, dark-haired man giggled. "Get the skull and give me my money," he said. He sounded Mexican and he smelled bad.

"The girl is the daughter of that old English guy," said Spinks. "These archaeologists are always in my way."

"Don't worry, I'll deal with the girl."

Sam's throat went dry. She was looking right into the cold eyes of the evil warlord, José Mamexi.

22

6 Troski bandyty

Spinks spojrzał ze złością na paskudnego człowieka, ale wrócił do czaszki. Mamexi zaczął iść w kierunku Sam.

Sam wrzasnęła i cofnęła się. – Pomóż mi! – błagała.

Spinks ani drgnął i Sam poczuła jak wilgotne ręce Mamexi sięgają jej szyi.

Nagle krzyk wypełnił jaskinię.

Oczy czaszki żarzyły się niebieskim ogniem, który palił Spinksa i Mamexi. Upadli na ziemię.

6 Warlord worries

Spinks looked angrily at the ugly man but then he went back to the skull. Mamexi began to walk towards Sam.

Sam cried out in alarm and backed away from him. "Help me!" she begged.

Spinks didn't move and Sam felt Mamexi's damp hands reach for her neck.

Suddenly a scream filled the cave.

The skull's eyes glowed with blue fire, burning into Spinks and Mamexi. They fell to the ground.

Sam wypełniło uczucie spokoju. Czaszka wydawała się mówić jej, co robić.

Wzięła ją i pobiegła w stronę drzwi. Obaj mężczyźni wciąż leżeli na ziemi.

A feeling of calm filled Sam. The skull seemed to be telling her what to do.

She picked up the skull then ran back up to the door. The two men were still on the ground behind her.

7 Ojciec

Wyszedłszy na światło dzienne, Sam pobiegła przez las, z łatwością przeskakując zwalone drzewa i pnącza.

Dotarła do obozu, z trudem łapiąc oddech, i wpadła ojcu w ramiona.

- Gdzie byłaś? – zawołał. – Tak bardzo się martwiłem!

7 Father

Back in daylight, Sam ran through the forest, jumping easily over fallen trees and vines.

She arrived in the camp out of breath and fell into her father's arms.

"Where have you been?" he cried. "I was so worried!"

- Tato, spójrz! – powiedziała Sam. – Zobacz, co znalazłam!

Archeologowie zebrali się wokół, wpatrując się w milczeniu w kryształową czaszkę. – Gdzie ją znalazłaś? – zapytał ojciec drżącym głosem.

- W lesie – odparła Sam. – Spinks i Mamexi też tam byli.

Ojciec spojrzał na nią zaniepokojony. – Skrzywdzili cię? – zapytał.

- Myślę, że mogli – powiedziała Sam – ale czaszka mnie uratowała.

- Co masz na myśli? – zapytał ojciec, nie rozumiejąc.

"Dad, look!" said Sam. "Look what I've found!"

The archaeologists gathered round, staring in silence at the crystal skull. "Where did you find it?" asked her father in a voice that shook.

"In the forest," said Sam. "Spinks and Mamexi were there, too."

Her father looked up in alarm. "Did they hurt you?" he asked.

"I think they might have," said Sam, "but the skull saved me."

"What do you mean?" asked her father, confused.

- Nie wiem – wyszeptała Sam. – Mamexi próbował mnie schwycić i... i... nie wiem. Czaszka rozjarzyła się i poraziła ich. Sprawiła, że krzyknęli. Chciała mi pomóc... i chciała, żebym ja jej pomogła. Powiedziała, że chciała znów ujrzeć światło dzienne. I... i... to tyle.

Ojciec wpatrywał się w nią w milczeniu.

- Wiem, że to brzmi nieprawdopodobnie – powiedziała Sam. – Ale to właśnie się wydarzyło.

Spojrzała na kryształową czaszkę, lecz ta była nieruchoma i pozbawiona życia, błyszcząc w meksykańskim słońcu. Wolała zatrzymać swój sekret – przynajmniej na jakiś czas.

"I don't know," whispered Sam. "Mamexi tried to grab me and... and... I don't know. The skull just lit up and it hurt them. It made them scream. It wanted to help me... and it wanted me to help it. The skull said it wanted to see sunlight again. And... and... that's it."

Her father stared at her in silence.

"I know it sounds crazy," said Sam. "But that's what happened."

She looked at the crystal skull. But the skull was still and lifeless, gleaming under the Mexican sunshine. It was happy to keep its secrets – for now.